CATASTROPHES !

10 BÊTISES DE GASPARD ET LISA

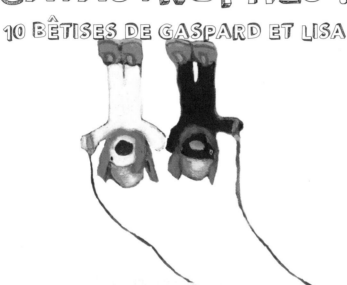

Les albums Hachette

PAPIER À BASE DE
FIBRES CERTIFIÉES

hachette s'engage pour
l'environnement en réduisant
l'empreinte carbone de ses livres.
Celle de cet exemplaire est de :
450 g éq. CO$_2$
Rendez-vous sur
www.hachette-durable.fr

hachette
JEUNESSE

© 2016, HACHETTE JEUNESSE / HACHETTE LIVRE
58, RUE JEAN BLEUZEN — CS 70007 — 92178 VANVES
ISBN : 978-2-01-398369-3
DÉPÔT LÉGAL : SEPTEMBRE 2016 — ÉDITION 01.
ACHEVÉ D'IMPRIMER EN ITALIE PAR STIGE EN SEPTEMBRE 2016.
LOI N° 49-956 DU 16 JUILLET 1949
SUR LES PUBLICATIONS DESTINÉES À LA JEUNESSE.

PREMIÈRE CATASTROPHE
GASPARD ET LISA S'ENNUIENT

On était en vacances chez ma mamie et il pleuvait tout le temps.

C'est drôle, c'est la même forme que le potager de ton papy.

Quoi ?

Ce que tu écrases.

On n'avait pas le droit de rester dehors et on commençait à en avoir vraiment assez.

Vite, vite, à la maison !

Mais mamie, il ne pleut presque plus !

Je peux me laver tout seul, vous savez.

Arrête un peu de bouger !

ET SI ON FAISAIT UN GÂTEAU !

ON PEUT FAIRE UNE BÛCHE.

MAIS ON EST EN ÉTÉ !

ALORS UN ÉCLAIR AU CHOCOLAT ?

MAMIE EST ALLÉE CHERCHER DES TABLIERS...

GASPARD A FAIT LA PÂTE, ET MOI LA CRÈME. MAIS, QUAND MAMIE EST REVENUE...

NE T'INQUIÈTE PAS MAMIE, ON N'A PAS TERMINÉ.

OUH LÀ LÀ LÀ LÀ !

ON A DÛ ALLER DANS NOTRE CHAMBRE. HEUREUSEMENT, J'AI EU UNE IDÉE : ON A CONSTRUIT DES WAGONS, ON A MIS DES OBSTACLES...

SI ON FAISAIT UN TRAIN FANTÔME ?

... ET ON A FERMÉ LES VOLETS.

LE PREMIER QUI RENTRERA VA MOURIR DE PEUR !

ÇA A ÉTÉ MAMAN. ELLE S'EST FÂCHÉE ET ON A DÛ TOUT DE SUITE DESCENDRE.

VOUS ÊTES DEVENUS FOUS ?

NON, POURQUOI ?

ROLAND-GARROS.

EN BAS, PAPA REGARDAIT LE TENNIS. C'EST LÀ QUE J'AI EU MON AUTRE IDÉE. ON EST ALLÉS CHERCHER LES RAQUETTES. MAIS JUSTE AVANT QUE GASPARD COMMENCE...

40-15

... PAPA S'EST FÂCHÉ AUSSI, IL A CRIÉ QU'ON ÉTAIT DES INCONSCIENTS. ET IL NOUS A DEMANDÉ POURQUOI ON NE POUVAIT PAS FAIRE UN PUZZLE, COMME TOUT LE MONDE ?

EN PLUS, POUR LA RACCROCHER, ON A DU SCOTCH, PERSONNE NE VERRA RIEN.

SI ON LA DÉCOUPAIT EN PETITS MORCEAUX, ÇA FERAIT UN PUZZLE GÉANT...

ILS FAISAIENT TOUS LA SIESTE, QUAND ON A VU L'AFFICHE DE MAMIE.

COUPE TOUT PETIT, C'EST MIEUX.

ON A TOUT...

... TRÈS BIEN DÉCOUPÉ.

ÇA COUPE ASSEZ BIEN, LES CISEAUX À ONGLES !

TU AS DES BOUTS DU LAPIN ?

ENSUITE, ON A FAIT LE PUZZLE.

ET APRÈS, ON A TOUT RECOLLÉ. MAIS C'EST LÀ QU'ON A VU...

IL EST VRAIMENT TRANSPARENT CE SCOTCH ?

ÇA SE VOIT, NON ?

... QU'IL MANQUAIT UN BOUT DU LAPIN. ON A CHERCHÉ PARTOUT, MAIS CATASTROPHE ! ON NE L'A PAS TROUVÉ.

QUOI ? LE SCOTCH ? TU TROUVES ?

MAIS NON, LE TROU !

AH, ÇA ? CE N'EST PAS GRAVE ! J'AI MES FEUTRES.

TU DÉPASSES !

... SEULEMENT IL N'Y AVAIT PAS LA BONNE COULEUR. MAMIE ALLAIT ÊTRE FURIEUSE.

QUAND ILS SE SONT RÉVEILLÉS, ILS SONT TOUS VENUS DANS LE SALON. ET NOUS, ON A EU TRÈS PEUR. SURTOUT QUAND PAPA S'EST ASSIS JUSTE EN FACE DE NOTRE PUZZLE ET QUE MAMIE EST ARRIVÉE...

– ÇA ALORS QUOI ? A DEMANDÉ PAPA.
C'ÉTAIT TERRIBLE !

ALORS, ON EST TOUS SORTIS DANS LE JARDIN.

ET POUR LE PUZZLE, ON ACHÈTERA UN NOUVEAU FEUTRE.
ET ILS NE SAURONT JAMAIS RIEN...

DEUXIEME CATASTROPHE
GASPARD ET LISA AU CINÉMA

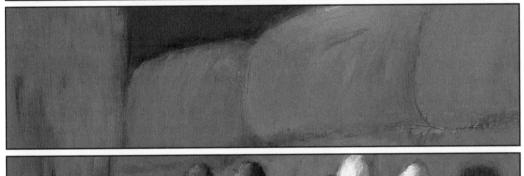

LISA ET GASPARD, NE RESTEZ PAS DERRIÈRE !

NON, NON, NON, PAS DERRIÈRE !

ELLE NE T'ÉNERVE PAS, TOI, BERTILLE ?

AIDE-MOI LISA !

– VITE LES ENFANTS, ON VA RATER LE DÉBUT DU FILM ! A DIT PAPA.

GASPARD A MIS TOUT D'UN COUP DANS SA BOUCHE ET VICTORIA A RÉPONDU QU'ELLE, ELLE N'ALLAIT PAS AU CINÉMA, MAIS À SON COURS DE PIANO, COMME TOUS LES MERCREDIS. ET QUE POUR PAPA, CE N'ÉTAIT PAS GRAVE DE RATER LE DÉBUT DU FILM PARCE QUE, DE TOUTE FAÇON, IL RATERAIT AUSSI LE MILIEU PUISQU'IL S'ENDORMAIT À CHAQUE FOIS.

MÊME PENDANT *STAR WARS*, TU AS DORMI !

PAPA A SOURI ET ON EST PARTIS.

AÏE, MES OREILLES !

10

DEVANT LA SALLE, LA DAME A PRIS NOS TICKETS ET NOUS A TENDU
DEUX COUSSINS EN PLASTIQUE. ON A HAUSSÉ LES ÉPAULES.

VENEZ, LES GRANDS !

ON N'EST PAS DES BÉBÉS !

ON VA ARRANGER ÇA,
LES ENFANTS.

IL NE SE PASSE
JAMAIS RIEN DE CE CÔTÉ,
NE T'INQUIÈTE PAS,
J'AI L'HABITUDE.

ON N'A PAS EU DE CHANCE, PARCE QUE DEUX VRAIMENT
GRANDS SE SONT INSTALLÉS JUSTE DEVANT NOUS.
ILS AVAIENT AU MOINS DIX ANS OU NEUF ANS. ET ON
NE VOYAIT PAS BIEN LE CÔTÉ GAUCHE DE L'ÉCRAN.

ASSEYEZ-VOUS SUR VOS MANTEAUX.

ON PEUT AVOIR UNE GLACE ?

ÇA N'ALLAIT PAS COMPLÈTEMENT. ALORS, FINALEMENT, PAPA A
PRIS SON MANTEAU À LUI EN PLUS, ET LÀ C'ÉTAIT BIEN, MAIS
UN PEU DANGEREUX SI ON BOUGEAIT.

JE TE PROMETS QU'ON LA MANGERA
EN ENTIER ET QU'ON N'EN METTRA PAS
PARTOUT COMME L'AUTRE FOIS.

LE PROBLÈME, C'ÉTAIT QUE SON PORTEFEUILLE ÉTAIT DANS LA POCHE DE SON MANTEAU ET QUE LE MANTEAU ÉTAIT SOUS LES FESSES DE GASPARD QUI A DÛ DESCENDRE DE SA TOUR POUR QU'ON PUISSE L'ATTRAPER.

ATTENTION, TU VAS TOUT DÉPLIER !

BON D'ACCORD, PRENEZ L'ARGENT DANS MON PORTEFEUILLE.

ON A ATTENDU TRÈS LONGTEMPS LA GLACE PARCE QU'ON A FAIT LA QUEUE AU MAUVAIS ENDROIT.

ÇA A DÉJÀ COMMENCÉ ?

ÇA AVAIT L'AIR BIEN, UN RAT FAISAIT DES RECETTES, ET PAPA NE NOUS A MÊME PAS GRONDÉS D'AVOIR MIS SI LONGTEMPS. IL AVAIT MÊME L'AIR TOUT CALME.

IL DORT.

PRENDS MON MOUCHOIR, TU ES ASSISE DESSUS.

ÇA COULE PAS TOI ?

ON A D'ABORD MANGÉ LE CHOCOLAT EN BAS DU CORNET. ET ON N'AURAIT PAS DÛ. PARCE QUE, COMME IL FAISAIT CHAUD, MÊME EN MANGEANT À TOUTE VITESSE, ÇA COULAIT. GASPARD EN AVAIT PLEIN SUR LES GENOUX ET MOI JUSTE UN PEU SUR LES MAINS ET UN PEU SUR LES POIGNETS. LE PROBLÈME, C'ÉTAIT QUE, DANS LE NOIR, ON N'A PAS TOUT DE SUITE VU QUE LE MOUCHOIR DE GASPARD ÉTAIT EN FAIT LE BONNET DE PAPA SUR LEQUEL J'ÉTAIS AUSSI ASSISE... CATASTROPHE !

ON EST ALLÉS AUX TOILETTES POUR LE NETTOYER.

TU CROIS QUE C'EST PARTI ?

JE NE SAIS PAS, LE SAVON A LA MÊME COULEUR QUE LA GLACE.

HEUREUSEMENT, LE SÈCHE-MAINS N'ÉTAIT PAS TROP HAUT : C'ÉTAIT SUPER. D'HABITUDE, JE NE PEUX JAMAIS M'EN SERVIR PARCE QUE VICTORIA SE PRÉCIPITE TOUJOURS DESSOUS ET ENSUITE ELLE DIT QU'IL N'Y A PLUS DE TEMPS ET QU'IL FAUT VITE Y ALLER, ALORS JE SORS TOUJOURS AVEC LES MAINS MOUILLÉES. MAIS LÀ, VICTORIA ÉTAIT AU PIANO ET GASPARD VOULAIT BIEN TENIR LE BOUTON PENDANT QUE JE TOURNAIS LE BONNET. C'ÉTAIT PRATIQUE. LE BONNET N'ÉTAIT PAS TOUT À FAIT SEC QUAND ON EST RETOURNÉS S'ASSEOIR .

APPUIE PLUS FORT GASPARD !

TU VOIS NOS PLACES ?

MAIS LE MÉCHANT CRITIQUE GASTRONOMIQUE DU DÉBUT ÉTAIT DEVENU GENTIL ET ON N'A PAS COMPRIS POURQUOI : ON AVAIT DÛ RESTER ASSEZ LONGTEMPS SOUS LE SÈCHE-MAINS.

PAPA, TU RONFLES !

ON A UN PEU BEAUCOUP ATTENDU AVANT DE RÉVEILLER PAPA...
EN FAIT, ON L'A RÉVEILLÉ À LA FIN DE LA SÉANCE D'APRÈS,
IL AVAIT DU SOMMEIL EN RETARD ET, NOUS, ON VOULAIT VOIR LE FILM.

QUAND ON EST SORTIS, IL FAISAIT
NUIT ET LE BONNET DE PAPA ÉTAIT
UN PEU ROSE MAIS, COMME IL ÉTAIT
SUR SA TÊTE, IL NE LE VOYAIT PAS.
IL A REGARDÉ SA MONTRE ET IL NOUS
A FROTTÉ LA TÊTE.

VOUS NE DIREZ PAS
À VICTORIA QUE JE ME SUIS
UN PEU ENDORMI ?

PROMIS !

ALORS, ON VA BOIRE UN GRAND
CHOCOLAT CHAUD. VOUS ME
RACONTEREZ LE FILM !

J'ADORE ALLER AU CINÉMA AVEC PAPA !

IL RÉUSSIT À S'ÉCHAPPER
DE LA PASSOIRE, MAIS IL EST
RECAPTURÉ DANS UN BOCAL...

14

TROISIEME CATASTROPHE

GASPARD ET LISA AU JAPON

COMBIEN DE FOIS TU AS DÉJÀ PRIS L'AVION LISA ?

1 FOIS POUR ALLER À NEW YORK ET 1 FOIS POUR ALLER À VENISE.

ET LES RETOURS !

ON A REGARDÉ PLEIN DE FILMS ET ON EST ARRIVÉS AU JAPON.

JE NE PEUX PAS JUSTE REGARDER LA FIN DE MON FILM ?

LISA, LÈVE-TOI, ON A ATTERRI !

M. FUKUSHIMA NOUS ATTENDAIT À L'AÉROPORT.

VICTORIA IS IN GERMANY, SO WE TOOK GASPARD.

AH, GOOD !

QU'EST-CE QU'IL DIT TON PÈRE ?

QUE VICTORIA EST CHEZ SA CORRESPONDANTE

Et on a pris un taxi. C'était drôle parce que tout était écrit en japonais, alors on ne comprenait rien. Mais comme on avait vu notre hôtel en photo dans le guide, on l'a tout de suite reconnu.

POURQUOI IL A MIS SA PHOTO LE CHAUFFEUR ?

LÀ-BAS, NOTRE HÔTEL !

COMME ÇA IL EST SÛR QU'IL NE S'EST PAS TROMPÉ DE VOITURE.

On avait une chambre super ! Moi et Gaspard, on dormait par terre. On avait même une télé juste pour nous et une petite table et des chaises.

JE PRENDS CELUI-LÀ !

DANS LES TOILETTES, IL Y AVAIT PLEIN DE BOUTONS, ON AURAIT DIT UNE CABINE DE PILOTAGE.
– NE TOUCHEZ À RIEN, A DIT MAMAN.

MAIS IL N'AURAIT PAS DÛ, PARCE QUE ÇA A ARROSÉ PARTOUT ET PAPA S'EST FÂCHÉ.

APPUIE LÀ !

OH, CATASTROPHE !

M. FUKUSHIMA NOUS A DONNÉ DES CADEAUX. J'AI EU UN MAGNIFIQUE FOULARD TRÈS DOUX, AVEC MON NOM ÉCRIT EN JAPONAIS. ET GASPARD AUSSI, AVEC ÉCRIT VICTORIA.

TU AIMES BIEN ?

C'EST PAS JUSTE ! À LA CANTINE, ON N'EST MÊME PAS OBLIGÉS DE GOÛTER CE QU'ON NE CONNAÎT PAS.

C'EST QUOI ?

ÇA SENT BIZARRE.

MAIS PAPA A FAIT SA TÊTE FÂCHÉE. IL A DIT QU'ON N'ÉTAIT PAS À LA CANTINE ET DE NOUS TENIR BIEN.

EN FAIT, C'ÉTAIT BON, MAIS LE PROBLÈME, C'EST QU'À CAUSE DES BAGUETTES, ON N'A PAS BEAUCOUP MANGÉ.

TU ES SÛRE QU'ON LES TIENT DANS LES DEUX MAINS ?

C'EST BEAU !

DÉJÀ QU'ON NE MARCHE PAS VITE, SI EN PLUS ON S'ARRÊTE POUR DES PHOTOS...

ENSUITE, ON EST ALLÉS VISITER UN TEMPLE. AVANT D'ENTRER, IL FALLAIT ENLEVER SES CHAUSSURES. NOUS, ON N'EN AVAIT PAS MAIS ON DEVAIT QUAND MÊME METTRE DES SORTES DE TONGS, ASSEZ GRANDES. MOI ET GASPARD, ÇA NOUS FAISAIT MARCHER TOUT DOUCEMENT ET ON NE VOYAIT PRESQUE PLUS PAPA ET MAMAN. HEUREUSEMENT, M. FUKUSHIMA RESTAIT AVEC NOUS POUR QU'ON NE SE PERDE PAS.

GASPARD, ATTENDS-MOI !

LE PROBLÈME, ÇA A ÉTÉ QUAND ON A DÛ DESCENDRE LE PETIT CHEMIN, PARCE QUE LA TONG DE GASPARD S'EST COINCÉE ET...

CATASTROPHE !

CATASTROPHE !

... ON EST TOMBÉS SUR M. FUKUSHIMA.

LE LENDEMAIN, POUR LA VISITE, M. FUKUSHIMA EST REVENU...
AVEC UN PLÂTRE ! M. FUKUSHIMA NOUS A FAIT UN CLIN D'ŒIL
À MOI ET GASPARD ET IL A JUSTE DIT QUE CE N'ÉTAIT PAS GRAVE.

OH, CE N'EST PAS PRATIQUE
POUR MARCHER, ÇA...

QUE VOUS EST-IL ARRIVÉ ?

IL EST TROP GENTIL, M. FUKUSHIMA, DE N'AVOIR RIEN
RACONTÉ À PAPA ET MAMAN.

NE PRENDS PAS
TOUTE LA PLACE
GASPARD !

ET IL NOUS A MÊME DIT QU'IL TROUVAIT
NOS DESSINS TELLEMENT BEAUX QU'IL SERA
TRISTE QUAND IL DEVRA ENLEVER SON PLÂTRE.

ELLE N'A PAS DE CHANCE
VICTORIA DE RATER
TOUT ÇA...

MAIS NOUS, ON A DE LA
CHANCE QU'ELLE NE SOIT
PAS LÀ, ELLE AURAIT TOUT
RACONTÉ POUR LE PLÂTRE !

QUATRIÈME CATASTROPHE

L'ANNIVERSAIRE DE GASPARD

Samuel Persil, il nous énerve tout le temps. Quand il est arrivé avec son casque de Gaulois, alors qu'on n'a même pas le droit d'apporter de déguisements à l'école, tout le monde l'a écouté expliquer où il l'avait eu. Comme si c'était intéressant !

MOI AUSSI, J'Y SUIS ALLÉ DANS CE PARC DES GAULOIS, AVEC LISA, POUR MON ANNIVERSAIRE ! PARCE QUE MON PAPA EST UN AMI DU DIRECTEUR !

Lisa n'a rien dit, alors j'ai continué.

LES CASQUES COMME CELUI DE SAMUEL, EN PLASTIQUE, C'EST POUR LES TOURISTES, MAIS LES VRAIS GENS DU PARC ONT UN CASQUE EN MÉTAL AVEC UN TÉLÉPHONE DEDANS.

CE QUI EST TRÈS PRATIQUE POUR SAVOIR OÙ TU DOIS ALLER (C'EST LA TOUR DE CONTRÔLE QUI TE LE DIT)

ET MOI ET LISA ON EN A EU UN.

POUR QU'ON NE FASSE JAMAIS LA QUEUE, PARCE QUE ÇA N'AURAIT PAS ÉTÉ DRÔLE POUR MON ANNIVERSAIRE, LE DIRECTEUR AVAIT FAIT FERMER LE PARC : ON L'AVAIT POUR NOUS TOUT SEULS.

LES AUTRES GENS AVAIENT LE DROIT DE RESTER, MAIS PAS DE FAIRE LES ATTRACTIONS.

NOUS, ON A TOUT ESSAYÉ.

« LA DANSE AVEC LES FLAMANTS ROSES »

« LES FLEURS VIVANTES »

« LES ASTRONAUTES »

« LA MARCHE AU PLAFOND »

« LE KARAOKÉ DES PERROQUETS »

« L'ESCALADE DES DINOSAURES »

COMME ON AVAIT CHAUD ET QU'IL N'Y AVAIT PAS DE PISCINE, LE DIRECTEUR NOUS A PROPOSÉ DE NOUS BAIGNER DANS LE BASSIN DES DAUPHINS PUISQU'ILS SONT APPRIVOISÉS. ILS N'ONT PAS EU PEUR DU TOUT PARCE QU'ON AVAIT LE MÊME T-SHIRT QUE LEURS DRESSEURS, ON A MÊME PU LES TOUCHER !

Quand on a été secs, le directeur nous a invités à déjeuner dans un de ses restaurants et là, il y avait aussi ma famille.

IL N'Y A MÊME PAS DE SALADE DEDANS !

ELLE MESURE 1 MÈTRE LA FRITE !

ILS FONT POUSSER ICI LEURS PROPRES POMMES DE TERRE POUR AVOIR LA BONNE TAILLE.

MON HAMBURGER A LA TAILLE D'UNE PIZZA GÉANTE !

Après manger, le directeur a voulu qu'on teste de nouvelles attractions secrètes : on devait les essayer et dire ce qu'on en pensait pour qu'il décide s'il allait vraiment les installer dans son parc ou pas. Il y avait d'abord une sorte de manège avec des petits hélicoptères accrochés. Mais au bout de trois tours, les hélicoptères se détachaient et tu volais vraiment, c'était toi le pilote !

C'EST MON ATTRACTION PRÉFÉRÉE !

IL Y A UN GRAND TRUC LÀ-BAS.

Dans le casque, ils nous ont dit d'aller ensuite derrière la grande roue. Mais comme c'était très loin, on a pris une petite voiture.

ON EST AU MOINS À 100 MÈTRES DE HAUT !

On devait monter tout en haut en ascenseur, et plonger d'un coup dans le vide avec notre élastique. On a presque failli tomber !

MAIS IL Y AVAIT UNE ATTRACTION ENCORE PIRE : LA CATAPULTE. TU T'INSTALLAIS COMME DANS UN LANCE-PIERRE...

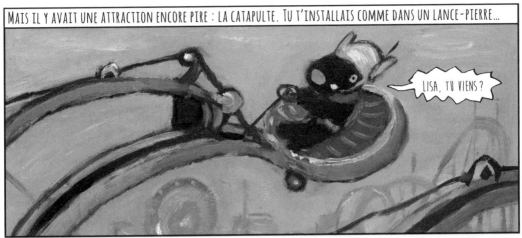

LISA, TU VIENS ?

... QUI TE PROJETAIT DANS LE CIEL.

SANS LES BRAS !

AVEC LES BRAS !

ET TU REDESCENDAIS EN PARACHUTE.

AU MOINS 500 KM/H !

OUF, LA PISTE D'ATTERRISSAGE !

HEUREUSEMENT, IL Y AVAIT UN TRAMPOLINE À L'ATTERRISSAGE, POUR NE PAS SE FAIRE MAL. C'ÉTAIT HORRIBLE, TELLEMENT, QUE LISA NE L'A MÊME PAS FAIT.

C'EST LÀ QUE LISA A ARRÊTÉ DE SE TAIRE : CATASTROPHE !
ELLE ALLAIT LEUR DIRE QUE J'AVAIS TOUT INVENTÉ.

LISA...

GASPARD, TU RACONTES
VRAIMENT
N'IMPORTE QUOI !!!

VIENS GASPARD,
N'AIE PAS PEUR !

– C'EST TOI QUI AVAIS TROP PEUR, ELLE A DIT, TU ÉTAIS DEVENU TOUT BLANC !
ET ELLE A CONTINUÉ À RACONTER, ELLE AVAIT BEAUCOUP D'IMAGINATION.

C'ÉTAIT TROP BIEN MON ANNIVERSAIRE RACONTÉ
PAR LISA : LE SPECTACLE DES ORQUES EN MON
HONNEUR ET LE FEU D'ARTIFICE À LA FIN...
SÛR QUE L'ANNÉE PROCHAINE, JE L'INVITERAI, POUR DE VRAI !

CINQUIÈME CATASTROPHE

LA RENTRÉE DE GASPARD ET LISA

VICTORIA ?

LISA, ARRÊTE DE FAIRE DU BRUIT !!!

La veille de la rentrée, c'est toujours la même chose : plus papa et maman nous couchent tôt et plus on s'endort tard. Record détenu par moi, Lisa...

MAIS JE N'AI RIEN FAIT !

TU GRINCES DES ONGLES !

Avec deux relevés pour aller boire, un pour faire pipi, un parce que je n'étais pas sûre d'avoir mis mon effaceur dans ma trousse, et le dernier, quand on s'est battues avec Victoria parce qu'elle disait que je faisais du bruit avec mes pieds.

Et du coup, comme dit maman, le matin de la rentrée, on est tous : fatigués, énervés, excités et...

TOUS LES ANS, C'EST PAREIL !

ATTENDEZ-MOI, JE PERDS MA BOTTE !

ELLE A TOUJOURS DES PROBLÈMES DE PIEDS !

JE VAIS VOUS DONNER AUTRE CHOSE, MES MIGNONS, PUISQUE VOUS N'AIMEZ PAS LES FRITES

MADAME COLAS, LA DAME DE SERVICE, NE SAVAIT PAS POUR LA GRÈVE DE LA FAIM, ET ELLE NOUS A APPORTÉ DES BROCOLIS...

LE PIRE, C'EST QU'ON A DÛ TOUT MANGER, SINON, ON ÉTAIT PRIVÉS DE RÉCRÉATION !

J'AI MIS LE SUCRE DU YAOURT DEDANS, C'EST MIEUX.

PEUT-ÊTRE QU'IL SUFFIT D'ALLER GENTIMENT VOIR LES NOUVEAUX QUI NOUS ONT PRIS NOS PLACES DANS LA CLASSE DE MADAME BALADI, ET CHANGER AVEC EUX.

À SEPT, ON Y VA !

POURQUOI À SEPT ?

COMME ÇA, ON LES AURA VRAIMENT PAR SURPRISE !

...SIX...

JE N'AVAIS PAS ENCORE DIT SEPT !

D'ACCORD SEPT ! ÇA VA COMME ÇA ?

QUAND ON S'EST RETROUVÉS DANS LE BUREAU DU DIRECTEUR APRÈS LA BAGARRE, JE CROIS QU'IL A COMPRIS QU'ON ÉTAIT VRAIMENT TRISTES DE NE PAS ÊTRE DANS LA CLASSE DE MADAME BALADI CETTE ANNÉE.

PROMIS !

PROMIS !

ON VA PEUT-ÊTRE POUVOIR AJOUTER DEUX CHAISES DANS SA CLASSE, SI C'EST SI IMPORTANT POUR VOUS. MAIS PLUS DE BAGARRES, PROMIS ?!

LE LENDEMAIN MATIN, QUAND ON EST RENTRÉS DANS LA CLASSE, ON A CRU QU'ON S'ÉTAIT TROMPÉS, PARCE QU'À LA PLACE DE MADAME BALADI...

C'EST BIZARRE...

... IL Y AVAIT UN MONSIEUR. IL AVAIT ÉCRIT SON NOM AU TABLEAU : MONSIEUR LEBRUN.
– DÉPÊCHEZ-VOUS ! IL A CRIÉ.

VOUS DEVANT AVEC LES ÉCHARPES, TAISEZ-VOUS !!!

JE SUIS LE REMPLAÇANT DE MADAME BALADI. ELLE SERA ABSENTE TRÈS LONGTEMPS CAR ELLE EST TOMBÉE DANS L'ESCALIER. BON, VOYONS TOUT DE SUITE DE QUOI VOUS ÊTES CAPABLES.

TAISEZ-VOUS, J'AI DIT !

CATASTROPHE...

C'EST VRAI QUE, COMME MONSIEUR LEBRUN EST NOUVEAU DANS L'ÉCOLE, C'EST BEAUCOUP POUR LUI, NOUS DEUX EN PLUS.

ALORS, ON POURRAIT RETOURNER DANS LA CLASSE DE MADEMOISELLE FEUILLAGE, FINALEMENT.

ON LUI DIRA ÇA, DEMAIN, AU DIRECTEUR !

JUSTE POUR LUI FAIRE PLAISIR.

32

SIXIÈME CATASTROPHE
LE PIQUE-NIQUE DE GASPARD ET LISA

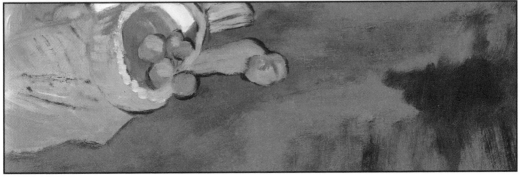

IL A MIS DES CORNICHONS DANS LES SANDWICHS TON PÈRE, LISA ?

JE NE SAIS PAS, IL CHANGE TOUJOURS SES RECETTES. MAIS ON POURRA LES JETER DANS L'HERBE, C'EST LA MÊME COULEUR.

LES ENFANTS, TROUVEZ-NOUS UNE PLACE À L'OMBRE.

IL Y A UNE TRÈS GRANDE PLACE, JUSTE SOUS L'ARBRE. PERSONNE NE L'A VUE !

LÀ-BAS ! IL N'Y A PERSONNE !

VICTORIA, GASPARD ET LOUISE ONT TOUT SORTI DU PANIER ET C'EST MOI QUI AI OUVERT LES PETITES BOÎTES QUE MAMAN AVAIT PRÉPARÉES. ON ÉTAIT BIEN INSTALLÉS.

PAPA VENAIT DE POSER LILA QUAND ON A COMPRIS POURQUOI IL N'Y AVAIT PERSONNE À NOTRE PLACE.

L'ARROSAGE AUTOMATIQUE !

NOUS, ON TROUVAIT ÇA SUPER PARCE QUE C'ÉTAIT COMME À LA PISCINE DE CHEZ MAMIE, MAIS PAS MAMAN QUI ÉTAIT FÂCHÉE À CAUSE DES SANDWICHS QUI ÉTAIENT TOUT TREMPÉS.

C'EST TROP DRÔLE !

FINALEMENT, ON S'EST ASSIS SUR UN BANC AVEC TOUTES NOS AFFAIRES.

INSTALLEZ-VOUS SUR LE BANC, LES ENFANTS.

ON A TOUT PRIS ?

MAIS IL Y A EU LES PIGEONS. ILS ONT COMMENCÉ PAR LE SANDWICH DE PAPA.

J'AI L'IMPRESSION QU'ILS NOUS ONT SUIVIS.

ÇA C'EST UNE TRÈS MAUVAISE IDÉE ! ON N'A DÉJÀ PLUS DE SANDWICHS, ALORS SI ON N'A MÊME PLUS D'EAU...

AVEC GASPARD, ON A VOULU LES ARROSER AVEC LES BOUTEILLES D'EAU POUR LES CHASSER MAIS MAMAN A CRIÉ.

ALLEZ JOUER PLUS LOIN !

ON PEUT PRENDRE LE COCA ALORS ?

IL Y AVAIT UN BAC À SABLE. ON A COMMENCÉ UN CHÂTEAU MAIS IL NOUS FALLAIT DU SABLE MOUILLÉ POUR FAIRE LE PONT-LEVIS ET ON N'AVAIT PAS DE SEAU.

ON N'A QU'À PRENDRE LES CHAUSSURES DE PAPA ET MAMAN, ELLES SONT DÉJÀ MOUILLÉES, ILS NE S'APERCEVRONT DE RIEN.

ALORS, DISCRÈTEMENT, ON EST ALLÉS CHERCHER LES CHAUSSURES...

... C'ÉTAIT TRÈS PRATIQUE.

LISA !

JE VERSE MON EAU DANS LES DOUVES ET JE REVIENS, GASPARD !

LE PROBLÈME, C'EST QUE, SANS FAIRE EXPRÈS, ON A FAIT TOMBER LA CHAUSSURE DE PAPA DANS L'EAU.

CATASTROPHE !

ELLE COULE...

JE TE TIENS, VAS-Y !

TU ES TROP LOURD, GASPARD !

PAPA, MAMAN ET LE GARDIEN SONT ARRIVÉS EN COURANT ET ILS ONT REPÊCHÉ GASPARD.

GASPARD !!!

ELLE EST CHAUDE ?

PAS TROP.

QU'EST-CE QUE TU DIS, GASPARD ?

LISA, PAS PAR LES P...

CATASTROPHE ! GASPARD AUSSI EST TOMBÉ DANS LE BASSIN.

TU SENS BIZARRE...

C'EST L'EAU DU BASSIN.

LE GARDIEN NE NOUS A PAS GRONDÉS MAIS PAPA ET MAMAN OUI ET ON A DÛ ALLER S'ASSEOIR SUR DES CHAISES POUR SE CALMER SANS BOUGER. MAIS HEUREUSEMENT, PAS TRÈS LONGTEMPS...

... PARCE QU'IL S'EST MIS À PLEUVOIR !
C'EST COMME ÇA QU'ON S'EST RETROUVÉS...

JE VENAIS
JUSTE
DE SÉCHER.

... CHEZ MARCELLO ET QU'ON A MANGÉ
NOS SPAGHETTIS PRÉFÉRÉS.

ON A FAIM !

PLEIN DE SPAGHETTIS !

SPAGHETTIS POUR
TOUT LE MONDE ?

C'EST VRAIMENT
UN CHOUETTE
PIQUE-NIQUE !

SEPTIÈME CATASTROPHE
GASPARD ET LISA AU RESTAURANT

L'AUTRE PROBLÈME, C'ÉTAIT QUE LES GRANDES PERSONNES AVAIENT PRIS DES FRUITS DE MER. C'EST BIEN, PARCE QUE, COMME ÇA, ON A LES PETITES SERVIETTES AU CITRON MAIS C'EST TRÈS, TRÈS LONG À MANGER ET NOUS, ON VOULAIT ALLER SUR LA PLAGE.

MAGNIFIQUE !

ILS VONT METTRE 2 JOURS À MANGER ÇA !

NOUS, ON AVAIT TOUT FINI, ET EUX, PAS DU TOUT. ALORS, ON A FAIT DES JEUX. LE PROBLÈME, C'EST QUE J'AVAIS ENLEVÉ MES BOTTES ET QU'IL N'Y EN AVAIT PLUS QU'UNE SOUS MA CHAISE. ON EST ALLÉS CHERCHER L'AUTRE AVEC GASPARD...

VAS-Y, JE TE TIENS !

C'EST PAS MA BOTTE ÇA...

COMME ÇA, EN RAMPANT, ON S'EST RETROUVÉS À L'AUTRE BOUT DU RESTAURANT ET C'EST LÀ QUE J'AI EU UNE IDÉE...

ON DÉVISSE COMPLÈTEMENT LA SALIÈRE : QUAND LES GENS VEULENT METTRE UN PEU DE SEL, TOUT TOMBE DANS LEUR ASSIETTE. C'EST TROP DRÔLE !

LE PROBLÈME, C'EST QU'EN ATTRAPANT LA SALIÈRE...

VAS-Y, GASPARD !

GASPARD !

C'EST TOMBÉ TOUT SEUL !

... IL A RENVERSÉ LA MOUTARDE. CATASTROPHE !
IL Y EN AVAIT PARTOUT. PAPA ET MAMAN ALLAIENT
ÊTRE FURIEUX ET LE NOUVEAU M. RAYMOND AUSSI.

D'ABORD, ON A FROTTÉ AVEC UNE SERVIETTE...

C'EST PIRE, ÇA ÉTALE.

VOILÀ,
AVEC LES ASSIETTES,
C'EST PARFAIT. ON
NE VOIT PLUS RIEN !

LORSQU'ON EST RETOURNÉS À NOTRE PLACE, MALO ET VICTORIA
FAISAIENT PEUR À LILA AVEC DES GRIMACES DERRIÈRE L'AQUARIUM.
ET PAPA AVAIT MA BOTTE DANS SA MAIN ET SA TÊTE FÂCHÉE.

TANT PIS POUR VOUS...

ET LÀ, C'ÉTAIT ENCORE MIEUX QUE DANS LE RESTAURANT D'AVANT : ILS N'AVAIENT PAS SEULEMENT PLANTÉ DES CLOWNS DANS LES GLACES, MAIS DES VRAIES SUCETTES, DEUX CHACUN ! ET ON A MANGÉ NOS DESSERTS ALORS QUE PAPA, MAMAN ET TANTE FANCHON N'AVAIENT MÊME PAS FINI LEURS FRUITS DE MER.

HUITIÈME CATASTROPHE
UN CADEAU POUR MAMAN

C'ÉTAIT BIENTÔT LA FÊTE DES MÈRES.

ILS SONT JOLIS CES COLLIERS.

CE SONT DES VRAIS DIAMANTS ?

ON ÉTAIT TRÈS OCCUPÉS.

TU NE VEUX PAS METTRE D'AUTRES COULEURS, LILA ?

NON, C'EST BEAU !

TOUTE LA SEMAINE À L'ÉCOLE, ON AVAIT PRÉPARÉ NOS CADEAUX : DES ASSIETTES EN TERRE QUE L'ON ALLAIT OFFRIR À NOS MAMANS. SUR LA MIENNE, J'AVAIS DESSINÉ DES CŒURS TRÈS BIEN FAITS.
– NE TOUCHEZ PAS À VOS ASSIETTES AVANT QU'ELLES SOIENT CUITES, AVAIT DIT MADAME BALADI...

MAMAN VA ADORER !

... PENDANT QUE J'APPORTAIS LA MIENNE À GASPARD POUR LUI MONTRER MES CŒURS.

ÇA COULE...

LISA !
QU'EST-CE QUE
TU FAIS ?!

ET LÀ, ÇA A ÉTÉ TERRIBLE PARCE QUE MON ASSIETTE S'EST MISE À RESSEMBLER À UNE PIZZA AVANT QU'ON METTE LES CHOSES DESSUS. CATASTROPHE ! MON CADEAU ÉTAIT FICHU.

TU CROIS QUE
C'EST JOLI
QUAND MÊME ?

HEU...
PAS TROP.

GASPARD M'A CONSOLÉE.

ON IRA DEMAIN AU SUPERMARCHÉ,
ILS ONT MIS PLEIN DE CHOSES
POUR LA FÊTE DES MÈRES.

LISA, ON CHERCHE POUR TA MÈRE !

ELLE EN A DÉJÀ UN ROUGE.

JE ME SUIS INSTALLÉE DANS LE CHARIOT, ET GASPARD CONDUISAIT. ON A TROUVÉ PLEIN DE CHOSES POUR LES MAMANS : DES COLLIERS DE PRINCESSE, DES ASPIRATEURS...

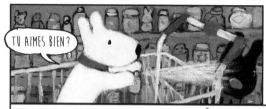

TU AIMES BIEN ?

ÇA SENT RIEN...

DES PARFUMS, MAIS ILS NE SENTAIENT PAS TRÈS BONS, ET DES FLEURS EN TISSU QU'ON N'AVAIT PAS BESOIN D'ARROSER. MALHEUREUSEMENT, JE N'AVAIS PAS ASSEZ D'ÉCONOMIES.

UN PEU PLUS LOIN, IL Y AVAIT UN BOL BLANC ET BLEU TRÈS JOLI, AVEC ÉCRIT « MAMAN », JUSTE À MA HAUTEUR. MAIS QUAND JE L'AI PRIS...

REGARDE, LÀ ! C'EST TROP BIEN, RAPPROCHE-MOI GASPARD !

CATASTROPHE !

TOUT S'EST ÉCROULÉ, ET LES BOLS SE SONT TOUS CASSÉS.

LES GENS DU MAGASIN SONT ARRIVÉS ET MOI, JE ME SUIS MISE À PLEURER.

JE VAIS ALLER EN PRISON.

ELLE N'A PAS FAIT EXPRÈS !

UN MONSIEUR A MIS GASPARD DANS MON CHARIOT, ET IL NOUS A EMMENÉS CHEZ LE DIRECTEUR.

ACCROCHEZ-VOUS !

COMME JE PLEURAIS TOUJOURS, C'EST GASPARD QUI A EXPLIQUÉ POUR LE CADEAU DE LA FÊTE DES MÈRES ET MON ASSIETTE-PIZZA.

CE N'EST PAS GRAVE, TU VOULAIS FAIRE PLAISIR À TA MAMAN, SÈCHE TES LARMES.

IL EST TROP GENTIL LE DIRECTEUR !

IL NOUS A DONNÉ DES BONBONS ET DES T-SHIRTS QUI NOUS ARRIVAIENT JUSQU'AUX PIEDS. IL M'A MÊME OFFERT LE BOL TOUT CASSÉ EN DISANT QU'IL ÉTAIT DÉSOLÉ QU'IL N'EN N'AVAIT PLUS UN SEUL ENTIER, MAIS QU'AVEC DE LA COLLE, JE POURRAIS SÛREMENT LE RÉPARER.

MON PLUS BEAU CADEAU, C'EST D'AVOIR UNE FILLE COMME TOI.

MAMAN A EU PLEIN DE BEAUX CADEAUX, MÊME LILA LUI A FAIT UN DESSIN ALORS QU'ELLE NE SAIT PAS ENCORE DESSINER. ET POUR MON BOL, ELLE A DIT QUE C'ÉTAIT COMME UN PUZZLE, ET QU'ELLE ADORE ÇA. ET PUIS, ELLE M'A DIT UN SECRET DANS L'OREILLE...

J'AI PENSÉ À QUELQUE CHOSE POUR LES T-SHIRTS DU DIRECTEUR...

BONNE IDÉE !!!

... ÇA FERAIT UN MAGNIFIQUE CADEAU POUR LA FÊTE DES PÈRES !

NEUVIÈME CATASTROPHE
GASPARD EST AMOUREUX

GASPARD, CE SERAIT PLUS GENTIL QUE TU LUI OFFRES TOI, CES JOLIES FLEURS...

ARRÊTE PAPA !

PENDANT CE TEMPS-LÀ...

LISA, ATTENDS-NOUS...

ELLE EST LENTE, VICTORIA ! MÊME UN VIEIL ESCARGOT VA PLUS VITE !

– POURQUOI IL N'EST PAS LÀ GASPARD ? A DEMANDÉ ADRIEN. C'EST QUAND PAUL A RÉPONDU QU'ILS ONT MARQUÉ UN BUT :
– GASPARD EST AVEC BERTILLE ? J'AI CRIÉ, LA BERTILLE QUI AVAIT INVITÉ TOUT LE MONDE SAUF MOI À SON ANNIVERSAIRE ?! GASPARD, IL EST AU SPECTACLE DE DANSE DE BERTILLE ?
– IL EST AMOUREUX, A DIT PAUL.

ELLE EST MIGNONNE BERTILLE.

BON, ON JOUE, OU ON PARLE ?!

J'AI PRIS UN CARTON ROUGE PARCE QUE J'AI DONNÉ UN COUP DE PIED À PAUL SANS FAIRE EXPRÈS. ALORS, JE SUIS PARTIE.

JE NE T'AVAIS PAS VU.

POURQUOI TU MARCHES SI VITE, LISA ?

J'AI PLEIN DE DEVOIRS.

MIGNONNE, BERTILLE ?

J'AI DÉCROCHÉ MA PHOTO DE CLASSE. BERTILLE ÉTAIT JUSTE À CÔTÉ DE GASPARD ALORS QU'ELLE AURAIT DÛ ÊTRE DERRIÈRE, SUR UNE CHAISE AVEC LES PETITS DE SA TAILLE.

JE N'ARRIVAIS PAS À DORMIR. PEUT-ÊTRE À CAUSE DU ROND NOIR QUE JE VOYAIS DÈS QUE JE BOUGEAIS.

JE VAIS DIRE QUE J'AI FAIT UN CAUCHEMAR.

FRANCHEMENT, ELLE EST PLUS BELLE COMME ÇA.

J'AI PRIS MON FEUTRE NOIR ET J'AI BIEN REPASSÉ TOUTE LA TÊTE DE BERTILLE AVEC. ON NE LA VOYAIT PLUS DU TOUT, C'ÉTAIT DRÔLE, C'ÉTAIT COMME S'IL Y AVAIT DEUX GASPARD. LE PROBLÈME, C'EST QUE J'AVAIS TELLEMENT APPUYÉ AVEC MON FEUTRE QU'IL Y AVAIT AUSSI UN GROS ROND NOIR SUR MON OREILLER.

LISA, ARRÊTE DE BOUGER S'IL TE PLAÎT

IL FAUDRA LE LAVER CE DOUDOU...

POUR UNE FOIS QU'IL FAUT SE DÉPÊCHER, TU TRAÎNES... VITE, LISA !

J'ARRIVE...

VRRROUMMM !!!

MAIS LE LENDEMAIN MATIN, J'AI TRÈS BIEN DORMI ET PAPA ET MAMAN AUSSI. TELLEMENT QUE JE SUIS ARRIVÉE TRÈS, TRÈS EN RETARD À L'ÉCOLE...

... À L'HEURE DE LA CANTINE ! CATASTROPHE ! BERTILLE AVAIT PRIS MA PLACE ! IL NE RESTAIT PLUS QU'UNE CHAISE, EN FACE D'ELLE. TOUT LE MONDE AVAIT DÉJÀ ÉCHANGÉ CE QU'IL N'AIMAIT PAS CONTRE CE QU'IL AIMAIT ET JE ME SUIS RETROUVÉE AVEC DEUX ASSIETTES DE RADIS SANS LE BEURRE ET UNE ASSIETTE D'ÉPINARDS TRÈS REMPLIE PAR TOUT LE MONDE.

BERTILLE NOUS A DIT QUE TU ADORES LES ÉPINARDS, TIENS !

– DÉSOLÉE LISA, ON A PRIS LES DERNIERS GÂTEAUX AU CHOCOLAT, M'A DIT BERTILLE, ET QU'EST-CE QUE TU AS SUR LA JOUE, C'EST BIZARRE, TU ES TOUTE NOIRE ?

ET TOI, C'EST BIZARRE TU ES TOUTE VERTE !

J'AI RENDU SON ÉCHARPE À GASPARD.

TIENS GASPARD...

MAMAN ET LA MÈRE DE BERTILLE SONT VENUES NOUS CHERCHER, MOI CHEZ LE DIRECTEUR ET ELLE DANS LES TOILETTES OÙ ELLE SE LAVAIT LES ÉPINARDS.

COMMENT GASPARD PEUT LA SUPPORTER ?

J'AI TROUVÉ À QUI ELLE ME FAISAIT PENSER : À HULK OU SHREK, EN UN PEU PLUS FONCÉE.

QUAND ON EST RENTRÉES AVEC MAMAN, PAPA NE M'A MÊME PAS GRONDÉE ET M'A DIT QUE ÇA ALLAIT S'ARRANGER.
VICTORIA A DIT QUE ÇA L'ÉTONNERAIT BIEN QUE ÇA S'ARRANGE AVEC MOI...

DES ÉPINARDS SUR LA TÊTE ?! HEUREUSEMENT QUE CE N'ÉTAIT PAS LE JOUR DE LA SOUPE DE POISSONS À LA CANTINE.

ET MAMAN A DIT QUE GASPARD M'ATTENDAIT À LA PORTE. IL AVAIT NOS DEUX ÉCHARPES AUTOUR DU COU.

GASPARD ?

LISA, TU ES LA PLUS BELLE FILLE DE L'ÉCOLE, TU COURS PLUS VITE QUE LES GARÇONS, TU SAIS MÊME ÉCRIRE À L'ENVERS...

...JE T'AIME !

IL M'A RENDU SON ÉCHARPE ROUGE ET M'A FAIT UN DOUBLE NŒUD POUR QUE JE NE PUISSE PLUS JAMAIS L'ENLEVER.
— TU NE DIRAS RIEN À BERTILLE, PROMIS ? IL M'A DIT. J'AI PROMIS.

PROMIS, D'ACCORD ?

JE NE POURRAIS JAMAIS LUI DIRE ? MÊME APRÈS LES VACANCES ? L'ANNÉE PROCHAINE ?

MAIS J'AI TOUT RACONTÉ À VICTORIA ! ÇA SERT À ÇA LES GRANDES SŒURS... JE SAIS QUE JE PEUX COMPTER SUR ELLE, PUISQU'ELLE AUSSI A PROMIS DE NE RIEN RACONTER.

GASPARD IL N'AIME PAS DU TOUT LA DANSE, JE SUIS SÛRE QU'ELLE DANSE TRÈS MAL, EN PLUS.

TU LE TROUVES BEAU GASPARD ?

HUMM... ÇA VA POUR UN PETIT.

SURTOUT RIEN À LA GRANDE SŒUR DE BERTILLE QUI EST DANS SA CLASSE...
... ET QUI NE TIENT JAMAIS SES PROMESSES !

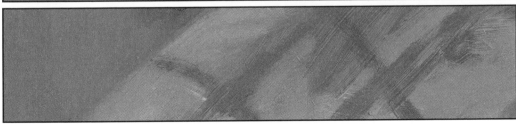

COMMENT TU LE SAIS ?

DEMAIN, IL Y AURA UN NOUVEAU DANS LA CLASSE.

BERTILLE A ENTENDU MADAME BALADI PARLER AU DIRECTEUR.

ON RENTRE ?

Le soir, papa m'a expliqué qu'être nouveau dans une classe, c'était difficile et que ce serait bien que, demain, je m'assoie à côté de lui et que je devienne son amie. Et il est arrivé. Il n'était pas brun, mais plutôt jaune. Il n'avait pas de lunettes et ne parlait pas français. Mais il ne s'est pas installé à côté de moi...

À la récré, on a fait des paris. Cinq pensaient qu'il serait brun, sept qu'il aurait des lunettes, et trois qu'il ne parlerait pas français.

ON PARIE QUOI ?

QUAND MON AMI SIMON EST ARRIVÉ DANS MA CLASSE...

TU M'AS DÉJÀ RACONTÉ...

C'EST LUI LE NOUVEAU, UN COCHON D'INDE !!!

C'EST SÛR QUE JE VAIS DEVENIR SON AMIE !

IL EST À MADAME BALADI MAIS À CAUSE DE JEAN-CLAUDE, SON CHIEN, ELLE NE PEUT PAS LE GARDER CHEZ ELLE.

MADAME BALADI NOUS A EXPLIQUÉ QUE C'ÉTAIT TRÈS BIEN PARCE QU'ON ALLAIT POUVOIR EN PROFITER POUR FAIRE DE LA « VRAIE » SCIENCE NATURELLE. ON ALLAIT L'ÉTUDIER ET S'EN OCCUPER. ET À TOUR DE RÔLE, PENDANT LES VACANCES ET LES WEEK-ENDS, IL FAUDRAIT L'EMMENER DANS NOS MAISONS PAR ORDRE ALPHABÉTIQUE.

AU BOUT DE TRÈS LONGTEMPS, À CAUSE DU « L » DE « LISA » ET QU'EN PLUS IL Y A DEUX ADRIEN DANS LA CLASSE, ÇA A ÉTÉ MON TOUR.

CE WEEK-END, BRIOCHE VIENT CHEZ MOI !

PROMIS, IL NE FALLAIT JAMAIS, JAMAIS LA SORTIR DE SA CAGE. SINON, IL Y AURAIT « DES DÉGÂTS PARTOUT ET CE SERAIT UNE CATASTROPHE ET LA DERNIÈRE FOIS QU'ON AURAIT UN ANIMAL À LA MAISON », COMME AVAIT DIT PAPA.

J'AI RANGÉ MA CHAMBRE POUR QUE TU AIES DE LA PLACE.

J'ADORE BRIOCHE : ELLE EST TROP MIGNONNE ET TRÈS INTELLIGENTE EN PLUS. PAR EXEMPLE, SI TU DIS TRÈS FORT SON NOM, ELLE TOURNE LA TÊTE. ET POUR SA ROUE, ELLE NE TOURNE PAS CHAQUE FOIS DANS LE MÊME SENS ; COMME ÇA ELLE NE REGARDE PAS TOUJOURS LA MÊME CHOSE : ELLE EST TRÈS OBSERVATRICE.

BRIOCHE !!!

TU CROIS QU'ELLE SAIT NAGER ?

ON L'A REGARDÉE PENDANT DES HEURES ; ON N'A MÊME PAS ALLUMÉ LA TÉLÉ. MAIS VICTORIA M'A PINCÉE PARCE QUE JE NE VOULAIS PAS QUE BRIOCHE DORME DANS SA CHAMBRE ET ON A ÉTÉ PRIVÉES D'HISTOIRE.

MAMAN A BIEN VOULU LAISSER UNE LUMIÈRE POUR QUE JE SURVEILLE BRIOCHE DE MON LIT. MAIS JE NE VOYAIS PAS TRÈS BIEN... J'AI OUVERT DOUCEMENT SA CAGE...

VOILÀ, TU ES MIEUX SUR MON OREILLER !

HI HI ! TU ME CHATOUILLES !

CATASTROPHE !

LE MATIN, J'AI VOULU REMETTRE BRIOCHE DANS SA CAGE AVANT QUE LES AUTRES NE SE LÈVENT... BRIOCHE N'ÉTAIT PLUS DANS MON LIT.

BRIOCHE ?

ELLE N'ÉTAIT PAS NON PLUS DANS LE SALON, NI DANS LA SALLE DE BAINS.

TU ES LÀ ?

BRIOCHE, TU M'ENTENDS ?

ELLE N'ÉTAIT PAS RETOURNÉE DANS SA CAGE : ELLE ÉTAIT PERDUE.

QUAND ILS M'ONT VUE SOUS LES TIROIRS DE LA CUISINE, PAPA ET MAMAN ONT TOUT DE SUITE COMPRIS.
ILS N'ONT RIEN DIT.

J'ÉTAIS SÛRE QUE TU FERAIS UNE BÊTISE.

J'AI TÉLÉPHONÉ À GASPARD. IL M'A DIT QUE CE N'ÉTAIT PAS DE MA FAUTE, QUE C'ÉTAIT UN ANIMAL SAUVAGE
QUI A VOULU RETROUVER SON MILIEU NATUREL MAIS QUE LE PROBLÈME, C'EST QUE MADAME BALADI ALLAIT SÛREMENT
ME PUNIR ET QUE LES AUTRES DE LA CLASSE NE VOUDRAIENT PLUS JAMAIS ME PARLER.
– J'AI UNE IDÉE ! J'AI DIT.

ON N'A PAS TROUVÉ TOUT DE SUITE LES COCHONS D'INDE
MAIS DES LAPINS TROP MIGNONS ET DES CHATS ENCORE
PLUS MIGNONS. ON A FINALEMENT VU LES COCHONS
D'INDE. CATASTROPHE ! IL Y EN AVAIT DES BLANCS ET
DES MARRON ET DES BLANC ET MARRON, MAIS AUCUN
COMME BRIOCHE. ON L'A APPELÉ PRUNETTE.

TANT PIS, ILS SAURONT LA VÉRITÉ.

ELLE M'ADORE.

QUAND ON EST RENTRÉS DANS MA CHAMBRE POUR FAIRE VISITER SA CAGE À PRUNETTE, ON A VU LA ROUE QUI BOUGEAIT... BRIOCHE ! PAPA M'A DIT QU'IL L'AVAIT DÉCOUVERTE COINCÉE SOUS MON TOBOGGAN EN TRAIN DE DÉGUSTER MON OURS ELLIOTT.

LA MAÎTRESSE N'A JAMAIS RIEN SU ET JE N'AI PAS ÉTÉ PUNIE. PAS COMME GASPARD QUE SES PARENTS N'ONT PAS CRU DU TOUT QUAND IL EST RENTRÉ CHEZ LUI AVEC PRUNETTE...

... EN EXPLIQUANT QUE C'ÉTAIT LA MAÎTRESSE QUI LA LUI AVAIT OFFERTE PARCE QU'IL AVAIT EU UNE BONNE NOTE.

IL NE SAIT VRAIMENT PAS BIEN MENTIR, GASPARD ! UN JOUR, IL FAUDRA QUE JE LUI APPRENNE.

TABLE DES MATIÈRES